Bien mieux qu'une maison

Texte d'Alexis Deacon • illustrations de Viviane Schwarz

Pastel

l'école des loisirs

C'est quoi, ça ?

C'est un petit trou noir.

C'est aussi une maison.
Une jolie maison, confortable et rassurante.

Mais
il y a
un
problème.

Quand
on grandit

dans
un petit
trou noir,
même si
au début
on est
minuscule,

il arrive
un
moment
où on
devient
trop
grand.

Et
alors,
on
doit
sortir
...

dans le monde.

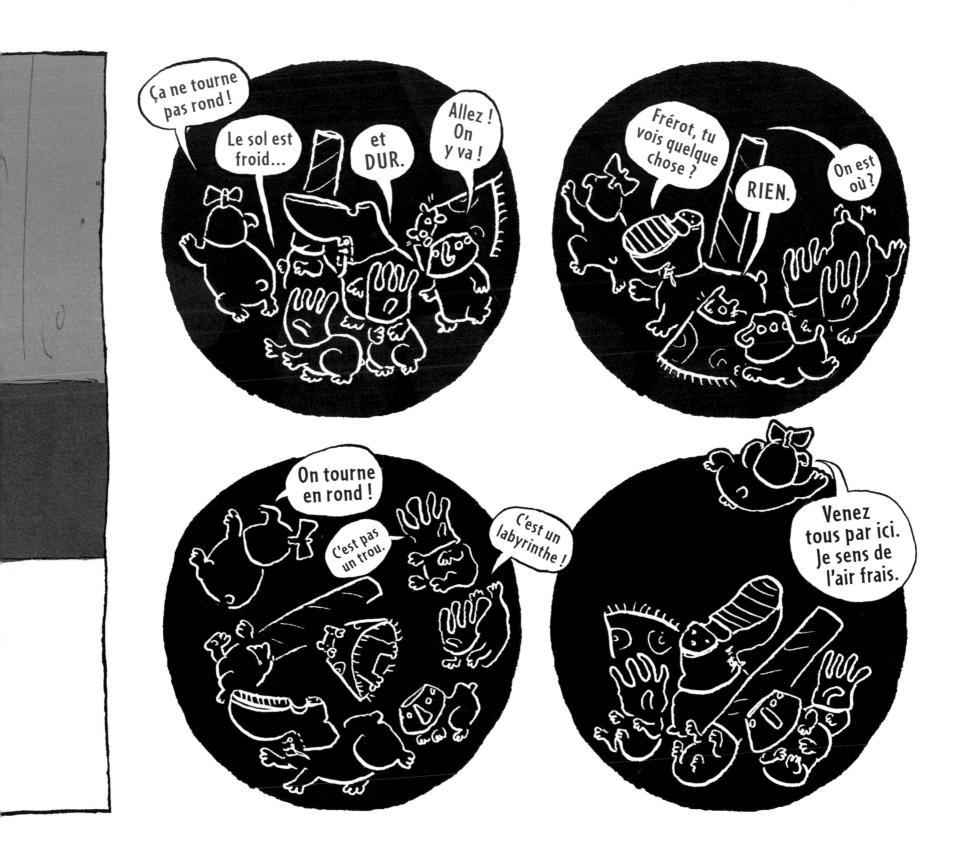

C'est quoi, ça ?

C'est grand,
c'est lumineux,
c'est le monde entier…

C'est chez nous !

Pour Alice, ma sœur
AD

Pour mes sœurs, Ina et Silke
VS

ISBN 978-2-211-21067-6

© 2013, l'école des loisirs, Paris, pour la présente édition
dans la collection «Minimax»
© 2011, l'école des loisirs, Paris, pour l'édition en langue française
© 2011, Alexis Deacon, pour le texte
© 2011, Viviane Schwarz, pour les illustrations
Titre original: "A Place to Call Home", *Walker Books Ltd*, Londres, 2011

Texte français de Claude Lager

Loi 49956 du 16 juillet 1949, sur les publications
destinées à la jeunesse: septembre 2011
Dépôt légal: janvier 2013
Imprimé en France par Aubin Imprimeur à Poitiers

Édition spéciale non commercialisée en librairie